Apreciados amigos y familiares de los nu

Bienvenidos a la serie Lector de Scholastic. N
los más de noventa años de experiencia que te... trabajando con maestros, padres de familia y niños para crear este programa, que está diseñado para que se corresponda con los intereses y las destrezas de su hijo o hija. Cada libro de la serie Lector de Scholastic está diseñado para apoyar el esfuerzo que su hijo o hija hace para aprender a leer.

- Lector Primerizo
- Preescolar a Kindergarten
- El alfabeto
- Primeras palabras

- Lector Principiante
- Preescolar a 1
- Palabras conocidas
- Palabras para pronunciar
- Oraciones sencillas

- Lector en Desarrollo
- Grados 1 a 2
- Vocabulario nuevo
- Oraciones más largas

- Lector Adelantado
- Grados 1 a 3
- Lectura de entretención y aprendizaje

Si visita www.scholastic.com, encontrará ideas sobre cómo compartir libros con su pequeño. ¡Espero que disfrute ayudando a su hijo o hija a aprender a leer y a amar la lectura!

¡Feliz lectura!

—Francie Alexander
Directora Académica
Scholastic Inc.

Escrito por Eva Moore con la asesoría de Joanna Cole.
Ilustrado por Carolyn Bracken

Basado en los libros de *El autobús mágico®* escritos por
Joanna Cole e ilustrados por Bruce Degen.

La autora y el editor quieren agradecer a Kristina Timmerman del
Departmento de la Fauna Salvaje y Recursos Pesqueros de la
Universidad de Minnesota por su experto asesoramiento
para preparar este libro.

Originally published in English
as *The Magic School Bus® Sleeps for the Winter*

Translated by Eida del Risco

ISBN 978-0-545-75036-3

12 11 10 9 8 7 6 5 4 3 2 1 14 15 16 17 18 19/0

Designed by Peter Koblish

Printed in the U.S.A. 40

First Spanish printing, September 2014

El autobús mágico® duerme todo el invierno

SCHOLASTIC INC.

Es divertido estar en la clase de la Srta. Frizzle.
OCTUBRE
PREPARARSE PARA EL INVIERNO
NOVIE
HORMIGUERO

Sus vestidos son raros.
Sus zapatos también son raros.
Nos lleva de excursión en el
autobús mágico.
NUESTRO AUTOBÚS TIENE PODERES.
¡PODERES *MÁGICOS*!
OSERA

Estamos aprendiendo cómo los animales salvajes viven en el invierno. Y tenemos que preparar el salón para la visita de los padres esta noche.
¡BIENVENIDOS!
ANIMALES EN INVIERNO
ZZZZ
MI ABUELA VIENE.
MIS PADRES TAMBIÉN VIENEN.
OSERA

—Algunos animales hibernan
en el invierno —dice Phoebe.
—Otros animales permanecen
despiertos —dice Ralphie.
A la Srta. Frizzle se le ocurre una idea.
¡VAMOS DE EXCURSIÓN!
HIBERNAR ES UN SUEÑO MUY PARTICULAR
por Wanda
Durante la hibernación:
-Los animales duermen por meses.
-Respiran muy despacio.
-El corazón les late despacio.
-Tienen menos calor corporal.

Enseguida, estamos montados en el autobús mágico.
La Srta. Frizzle maneja hacia un gran parque en el norte.
¡MIRA, ARNOLD! ¡ESTE PARQUE ESTÁ LLENO DE ANIMALES SALVAJES!
LOS VIAJES DE LA SRTA. FRIZZLE *SIEMPRE* SON SALVAJES.
¡SALVAJE!

PARQUE
DE ANIMALES
PELIGRO
NO MOLESTE A LOS OSOS
NI LES ECHE COMIDA.

—¡Ahí hay un oso negro! —dice Phoebe.
—¡Y allí hay otro! —dice Ralphie.
¿SON NEGROS LOS OSOS NEGROS?
por Dorothy Ann
Casi todos son negros, pero los hay pardos, rojizos e incluso rubios.
LA GENTE NOS PUSO NOMBRE HACE MUCHO...
ANTES DE SABER LO DE LOS COLORES.

El autobús empieza a temblar.
Hace un ruido raro.
—¡*Grrrr!*
¿LOS AUTOBUSES RUGEN?
G-R-R-R
NO LO CREO.

Ahora el autobús ha cambiado.
¡Ahora es el *autoboso* mágico!
¡NO PUEDO CREERLO!
¡ES ESPANTOSO!

El oso de verdad come nueces.
El *autoboso* también come nueces.

El oso de verdad atrapa
un pez ¡y se lo come!
El *autoboso* hace lo mismo.
El oso de verdad come miel.
¡Y hasta se come algunas abejas!
¡Nuestro oso también!
¡QUÉ DESASTRE!

Cae un copo de nieve.
Caen muchos más.
Los osos encuentran una cueva.
ESTA MAÑANA ESTÁBAMOS EN OTOÑO.
¡Y YA ES INVIERNO!
¡LAS COSAS VAN RÁPIDO EN LOS VIAJES DE LA FRIZ!
¿POR QUÉ LOS OSOS COMEN TANTO?
por Arnold
Los osos necesitan engordar en el otoño.
Van a vivir de la grasa almacenada durante el invierno.

Los osos hacen nidos de hojas secas.
¿POR QUÉ NOS MOVEMOS TAN DESPACIO?
¡QUÉ SUEÑO!

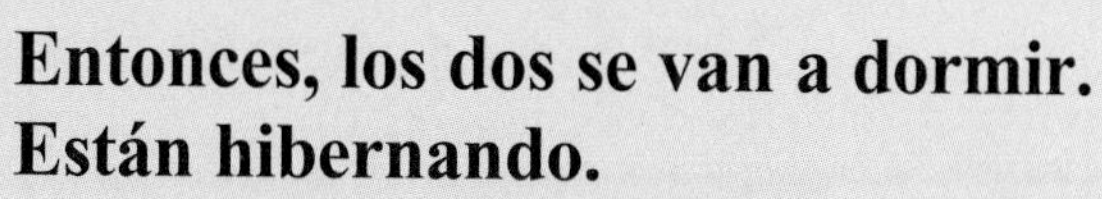

¿POR QUÉ LOS ANIMALES HIBERNAN?
por Tim

Algunos animales, como las ranas y las serpientes, hibernan porque morirían de frío en el invierno.

Otros animales, como los osos, no pueden encontrar suficiente comida en el invierno.

Los osos duermen y duermen.
Pero nosotros no tenemos sueño.
—¡Salgamos! —susurra la Friz.
ZZZZ
¡CHIS!
NO DESPIERTEN A LOS OSOS.

La Srta. Frizzle abre su bolsa.
Nos da unas gafas.
¡PERO SI YA TENGO GAFAS!
ALGUNOS ANIMALES PUEDEN ENCONTRAR COMIDA EN EL INVIERNO
por Phoebe
Los ciervos comen ramitas.
Los conejos comen ramitas, cortezas y hojas.
Los zorros cazan conejos.
NOS CRECE MÁS PELO PARA GUARDAR EL CALOR.
¡NOS MANTENEMOS DESPIERTOS!

Son gafas *mágicas*. Ahora podemos ver a los animales que hibernan bajo tierra.
Insectos
Marmotas

También vemos animales en troncos y cuevas.
Murciélagos
ESTOS ANIMALES DORMIRÁN TODO EL INVIERNO.
¿POR QUÉ *YO* NO PUEDO QUEDARME EN CAMA TODO EL INVIERNO?
Sapos
Ardillas rayadas
Serpiente

Vemos animales bajo el agua.
Y vemos animales en la tierra.
Uno es un felino grande: un puma.
Los otros son lobos.
LOS ANIMALES ACUÁTICOS TAMBIÉN HIBERNAN.
Tortuga
Rana

Estos animales son cazadores.
Necesitamos ayuda, ¡rápido!
LOS ANIMALES SALVAJES NO HACEN DAÑO A LA GENTE...
A MENOS QUE SE LES ACERQUEN MUCHO.
¡CREO QUE ESTAMOS DEMASIADO CERCA!
Salamandra
Langosta

Entonces escuchamos un rugido.
¡Es el autoboso mágico!
SUBAN
¡NOS HA SALVADO!

Volvemos a la cueva.
Algo ha sucedido.
¡ES ASOMBROSO!
¡MIREN!
¡PRECIOSO!

¡Nacieron dos oseznos!
Son muy pequeños.
Todavía no tienen pelo.
¿DESPIERTOS O DORMIDOS?
por Phoebe y Ralphie
Los osos pueden despertar por un corto período de tiempo. Pero aún así, están medio dormidos.
A este estado se le llama hibernación ligera.

Los osos tienen sueño.
Nosotros, también.
Pronto todos estamos
profundamente dormidos.
ZZZZZZZZ.
Z Z Z Z
VOY A HACER UN
POCO DE REPOSO.

Cuando despertamos, ¡es primavera!
Los osos están afuera.
Los oseznos juegan.
La madre busca comida.
¡LOS OSEZNOS HAN CRECIDO!
MI LIBRO DICE QUE LOS OSEZNOS CRECEN RÁPIDO.

La Srta. Frizzle nos lleva de regreso a la escuela.
Cuando llegamos, es otoño otra vez.
Y el autobús vuelve a ser un autobús.
¡DE PRISA!
¡TENEMOS QUE PREPARARNOS PARA LA VISITA DE LOS PADRES!
DE REGRESO

A los padres les encanta nuestro salón.
¡Y también el vestido de la Srta. Frizzle!
Z-Z-Z-Z
Oso
Serpiente
Ratones
Marmotas
Sapos
Ranas
Murciélagos
Tortuga

ANIMALES QUE ESTÁN ACTIVOS EN INVIERNO
Zorro
Liebre
Ciervo
Cardenal
Ardilla
¡BIENVENIDOS!
¿NO ES FANTÁSTICA LA SRTA. FRIZZLE?
SÍ, PERO SU VESTIDO ME DA PICAZÓN.

Palabras interesantes:

ACUÁTICO: Que vive en el agua.

CORPORAL: Perteneciente o relativo al cuerpo.

CORTEZA: Parte exterior y dura de los árboles.

FELINO: Se dice de los animales que pertenecen a la familia del gato.

HIBERNAR: Pasar el invierno durmiendo y viviendo de la grasa almacenada en el cuerpo.

OSERA: Cueva donde se recogen los osos para abrigarse y criar a sus hijos.

OSEZNO: Cachorro de oso.